Sommaire

M'khabez à revers roulé

Ingrédients:

Pour la pâte:
- 04 mesures d'amandes moulues
- 02 mesures de sucre glace tamisé
- 03 œufs
- Arômes de fraise et citron
- Colorants alimentaires rouge et jaune

Pour la pâte d'amandes :
- 01 mesure d'amandes finement moulues (200 gr)
- 01 mesure de sucre glace tamisé (200 gr)
- 02 blancs d'œufs
- Colorants alimentaires rouge et jaune
- Arômes de fraise et de citron

Pour le sirop (cherbet) :
- 03 mesures de miel
- 01 mesure d'eau de fleurs d'oranger

Pour la décoration :
- Amandes et pistaches concassées

Préparation:

Dans un récipient, mélangez les amandes, le sucre glace et le colorant alimentaire jaune dilué dans l'arôme de citron. Humectez progressivement avec les blancs d'œufs battus en neige jusqu'à obtenir une pâte homogène et laissez reposer.

Sur un plan de travail saupoudré de farine, abaisser la pâte à l'aide d'un rouleau à une épaisseur de 03 cm.

A l'aide d'un verre à thé, découpez des rondelles puis badigeonnez la surface avec du blanc d'œuf. Mettre à four moyen pendant 20 mn. Dès sortie du four, les tremper dans du sirop (cherbet).

Préparation de la pâte d'amande :

Dans un récipient, mélanger les amandes, le sucre glace tamisé et le colorant alimentaire jaune dilué dans l'arôme de citron.

Humectez progressivement avec les blancs d'œufs battus en neige jusqu'à obtenir une pâte lisse facile à travailler.

Sur un plan de travail saupoudré de sucre glace, abaisser la pâte à l'aide d'un rouleau à une épaisseur de 05 mm, puis découpez des rondelles à l'aide d'un verre à thé et d'une roulette.

Roulez sur lui-même un demi-cercle de pâte d'amandes en laissant l'autre demi-cercle sous sa forme, puis posez le sur le gâteau.

Saupoudrez la surface du gâteau non-recouverte avec des amandes et des pistaches concassées, puis présentez dans des caissettes.

Remarque :

Pour obtenir un M'khabez rose, utilisez le colorant alimentaire rouge dans de l'arôme de fraise.

مخبز بالقلبة

المقادير:

للعجينة:
- 4 كيلات لوز مرحي
- 2 كيلا سكر ناعم مغربل
- 3 بيضات
- نكهة الفراولة و الليمون.
- ملون غذائي أحمر و أصفر.

عجينة اللوز:
- 1 كيلة لوز مرحي رقيق (200 غ)
- 1 كيلة سكر ناعم مغربل (200غ)
- 2 بياض البيض
- ملون غذائي أحمر و أصفر.
- نكهة الفراولة و الليمون.

الشاربات:
- كيلات عسل
- 1 كأس من ماء الورد

للتزيين:
- لوز وفستق مرحي خشن.

كيفية التحضير:

كيفية تحضير للعجينة:
ضعي في إناء اللوز و السكر الناعم و الملون الغذائي الأصفر المبل في نكهة الليمون، بللي تدريجيا ببياض البيض المخفق كالثلج ، حتى تتحصلي لى عجينة متجانسة ثم اتركيها ترتاح. على طاولة عمل مرشوشة بالفرينة إبسطي بواسطة الحلال العجينة بسمك 3 سم ، ثم قطعي دوائر بواسطة كأس الشاي، اطلي السطح بواسطة بياض البيض ، عندها ضعي الحلوى في فرن لمدة 20 دقيقة و فور خروجها أغطسيها في الشاربات.

كيفية تحضير عجينة اللوز:
في و عاء أخلطي جيدا اللوز و السكر الناعم المغربل و الملون الغذائي الأصفر المبل في نكهة الليمون ، بللي ببياض البيض تدريجيا إلى أن تتحصلي على عجينة ملساء سهلة الإستعمال.

على طاولة عمل مرشوشة بالسكر الناعم إبسطي عجينة اللوز بالحلال بسمك 5 ملم ، ثم قطعي دوائر بواسطة كأس الشاي و الجرارة.

لفي نصف دائرة عجينة اللوز و اتركي النصف الآخر كما هو ، ثم ابسطيها على الحلوى و ذرذري المساحة المتبقية باللوز و الفستق المرحي و قدمي الحلوى في حاويات.

ملاحظة:
لتتحصلي على مخبز وردي، إستعملي الملون الغذائي الأحمر المبلل في نكهة الفراولة.

Pistaches en pâte d'amande

Ingrédients:

Pour la pâte:
- 04 mesures d'amandes moulues
- 02 mesures de sucre glace tamisé
- 03 œufs
- Colorant alimentaire vert
- Arôme de pistache

Pour la pâte d'amandes :
- 01 mesure d'amandes finement moulues (200 gr)
- 01 mesure de sucre glace tamisé (200 gr)
- 02 blancs d'œufs
- Colorant alimentaire vert
- Arôme de pistache

Pour le sirop (cherbet) :
- 03 mesures de miel
- 01 mesure d'eau de fleurs d'oranger

Pour la décoration :
- Amandes et pistaches concassées.

Préparation:

Dans un récipient, mélangez les amandes, le sucre glace et le colorant alimentaire vert dilué dans l'arôme de pistache. Humectez progressivement avec les blancs d'œufs battus en neige jusqu'à obtenir une pâte homogène et laissez reposer.

Sur un plan de travail saupoudré de farine, abaissez la pâte à l'aide d'un rouleau à une épaisseur de 03 cm. A l'aide d'un verre à thé, découpez des rondelles puis badigeonnez la surface avec du blanc d'œuf. Mettre à four moyen pendant 20 mn. Dès sortie du four, les tremper dans du sirop (cherbet).

Préparation de la pâte d'amande :

Dans un récipient, mélanger les amandes, le sucre glace tamisé et le colorant alimentaire vert dilué dans de l'arôme de pistache.

Humectez progressivement avec les blancs d'œufs battus en neige jusqu'à obtenir une pâte lisse facile à travailler.

Sur un plan de travail saupoudré de sucre glace, abaissez la pâte à l'aide d'un rouleau à une épaisseur de 05 mm, puis découpez des rondelles à l'aide d'un verre à thé et d'une roulette.

A l'aide d'un couteau, coupez deux parties opposées, puis disposez sur la surface.

Disposez ensuite les deux parties restantes à la verticale au milieu du gâteau.

Saupoudrez les parties non-recouvertes du gâteau avec des pistaches et des amandes concassées.

Pour le deuxième modèle, faire une coupure en X au milieu de la pâte d'amande à l'aide d'un couteau. Ouvrir avec le bout des doigts puis décorer le milieu avec des amandes et des pistaches moulues.

بستاش بعجينة اللوز

المقادير:

للعجينة:
- 4 كيلات لوز مرحي
- 2 كيلات سكر ناعم مغربل
- 3 بياض البيض
- نكهة الفستق
- ملون غذائي أخضر

عجينة اللوز:
- 1 كيلة لوز مرحي رقيق (200 غ)
- 1 كيلة سكر ناعم مغربل (200 غ)
- 2 بياض البيض
- ملون غذائي أخضر
- نكهة الفستق

الشاريات:
- 3 كيلات عسل
- 1 كيلة من ماء الورد

للتزيين:
- لوز و فستق مرحي خشن.

كيفية التحضير:

تحضير العجينة

ضعي في وعاء اللوز و السكر الناعم و الملون الغذائي الأخضر المبلل في نكهة الفستق، بللي تدريجيا ببياض البيض المخفق كالثلج ، حتى تتحصلي على عجينة متجانسة ثم اتركيها ترتاح. على طاولة عمل مرشوشة بالفرينة إبسطي الحلال العجينة بسمك 3 سم ، ثم قطعي دوائر بواسطة كأس الشاي و اطلي السطح بواسطة بياض البيض ، ثم ضعي الحلوى في فرن لمدة 20 دقيقة و فور خروجها أغطسيها في الشاربات.

تحضير عجينة اللوز:

في و عاء أخلطي جيدا اللوز و السكر الناعم المغربل و الملون الغذائي الأخضر المبلل في نكهة الفستق ، بللي ببياض البيض تدريجيا إلى أن تتحصلي على عجينة ملساء سهلة الإستعمال. على طاولة عمل مرشوشة بالسكر الناعم إبسطي عجينة اللوز بالحلال بسمك 5 ملم ، ثم قطعي دوائر بواسطة كأس الشاي و الجرارة.

بواسطة سكين قطعي الطرفين المتقابلين من عجينة اللوز و ابسطيها على سطح الحلوى و الطرفين المتبقيين قابلهما بشكل عمودي كما هو واضح في الصورة ثم زيني ماتبقى باللوز و الفستق المرحي و قدمي الحلوى في حاويات. أما النوع الثاني فقطعي بواسطة سكين علامة × على عجينة اللوز و افتحيها بأطراف الأصابع و زيني مابداخلها بالفستق و اللوز المرحي.

H'rissa

Ingrédients:

- 01 mesure d'amandes finement moulues (500 gr)
- 01 mesure de sucre glace tamisé (500 gr)
- 04 à 05 blancs d'œufs
- Colorant alimentaire dilué avec son arôme correspondant

Préparation:

Dans un récipient, mélangez les amandes avec le sucre glace tamisé. Humectez progressivement avec les blancs d'œufs jusqu'à obtenir une pâte lisse facile à travailler.

Partagez la pâte en boules et colorez chacune d'elles avec le colorant alimentaire dilué avec son arôme correspondant.

Ex : rose : colorant alimentaire rouge dilué avec l'arôme de fraise.

Sur un plan de travail saupoudré de sucre glace, étalez la pâte d'amande sur une épaisseur de 02 cm, puis coupez des ronds à l'aide d'un verre à thé.

Au milieu de chaque rond, disposez des roses et des feuilles faites de la même pâte mais de couleur différente.

Décorez avec des boules de différentes couleurs et présentez dans des caissettes.

هريسة

المقادير:

- ١ كيلة لوز مرحي رقيق (500غ)
- ١ كيلة سكر ناعم مغربل (500غ)
- 4 إلى 5 بياض البيض
- ملون غذائي مبلل في نكهته المناسبة

كيفية التحضير:

في وعاء أخلطي جيدا اللوز و السكر الناعم ، بللي ببياض البيض تدريجيا إلى أن تتحصلي على عجينة ملساء سهلة الإستعمال. قسمي العجينة إلى كريات و لوني كل كرية حسب ذوقك و هذا بالملون الغذائي مبلل في النكهة المناسبة له.

مثلا : الوردي بالملون الغذائي الأحمر مبلل في نكهة الفراولة .

على طاولة عمل مرشوشة بالسكر الناعم ، إبسطي عجينة اللوز بسمك 2 سم و قطعي دوائر بواسطة كأس شاي ثم ضعي في مركز كل دائرة ورود ووريقات مصنوعة من نفس العجينة و لكن بألوان مختلفة.

زيني الحلوى بكريات العقاش مختلفة الألوان و ضعيها في حاويات.

M'Khebez aux Grains de café

Ingrédients:

Pour la pâte :
- 02 mesures d'amandes moulues
- 01 mesure de noix moulues
- 02 mesures de sucre glace tamisé
- 03 à 04 blancs d'œufs (selon la grosseur des œufs)

Pour le glaçage :
- 03 blancs d'œufs
- 01 C. à soupe de jus de citron
- 01 petite cuillère d'huile
- 05 C. à soupe d'eau de fleurs d'oranger
- Sucre glace tamisé
- 02 C. à soupe de Nescafé
- 02 C. à soupe de cacao

Pour la décoration :
- 01 verre de glaçage
- 05 C. à soupe de cacao

Préparation:

Dans un récipient, mélangez les amandes, les noix et le sucre glace.
Humectez progressivement avec les blancs d'œufs jusqu'à obtenir une pâte homogène et malléable.
Sur un plan de travail saupoudré de farine, abaissez la pâte sur une épaisseur de 03 cm, à l'aide d'un rouleau.
A l'aide d'un verre à thé, découpez des ronds et mettre à cuire au four sur un plat saupoudré de farine pendant 20 minutes, jusqu'à ce qu' ils sèchent et que leur fond obtienne une couleur rosée.

Préparation du glaçage :
Humectez le nescafé avec l'eau de fleurs d'oranger et laissez à part. Dans un récipient, mettez les blancs d'œufs, le jus de citron et l'huile. Mélangez bien le tout puis ajoutez le mélange de nescafé et d'eau de fleurs d'oranger.
Ajoutez progressivement le sucre glace jusqu'à obtenir un glaçage qui ne coule pas. Testez sur un gâteau : si c'est trop coulant, ajoutez du sucre glace.

Pour la décoration :
Préparation des grains de café :
Mélangez le glaçage avec le cacao et pétrissez les bien.
Avec le bout des doigts, formez des petites boules de la taille de grains de café, et à l'aide d'un couteau faites une fente au milieu de chacune des petites boules.
Disposez les grains de café autour du gâteau avant que glaçage ne sèche.

مخبز بحبيبات القهوة

المقادير:

العجينة:
- 2 كيلات لوز مرحي
- 1 كيلة جوز مرحي
- 2 كيلات سكر ناعم
- 3 إلى 4 بياض البيض حسب الحجم

الطلاء:
- 3 بياض البيض
- 1 ملعقة أكل عصير الليمون
- 1 ملعقة صغيرة من الزيت
- 5 ملاعق أكل من ماء الورد
- سكر ناعم مغربل
- 2 ملاعق أكل من النيسكا فيه
- 2 ملاعق أكل من الكاكاو

للتزيين:
- 1 كأس من الطلاء المحضر
- 5 ملاعق أكل كاكاو

كيفية التحضير:

في و عاء أخلطي اللوز و الجوز و السكر الناعم، بللي ببياض البيض حتى تتحصلي على عجينة متجانسة و طرية.
على طاولة عمل مرشوشة بالفرينة أبسطي العجينة بالحلال حتى يتراوح سمكها 3 سم.
قطعي دوائر بواسطة كأس الشاي و ضعيها في صينية مرشوشة بالفرينة في الفرن لمدة 20 دقيقة إلى أن تجف و يصبح قاعها نوعا ما وردي اللون.

تحضير الطلاء:
بللي النيسكافيه مع ماء الورد و اتركيه على حدى و في و عاء ضعي بياض البيض مع عصير الليمون و الزيت أخلطي الكل جيدا ثم ضفي إليهم خليط النيسكافيه مع ماء الورد . أضيفي السكر الناعم تدريجيا حتى تتحصلي على عجينة طلاء غير سائلة. جربي الطلاء على الحبة الأولى، إذا بقي سائلا ضفي إليه السكر الناعم.

للتزيين:
تحضير حبات القهوة:
أخلطي الطلاء مع الكاكاو و اعجنيهما جيدا، كوني كريات صغيرة حجمها حجم حبة القهوة و بأطراف الأصابع و بواسطة سكين خططي خطا في و سط كل كرية لتبسطيهم على الطلاء قبل أن يجف.

Melfoufa de pistaches

Ingrédients:

- 03 à 04 boules de ktaïef
- 100 gr de beurre fondu

Pour la farce :
- 02 verres d'amandes moulues
- 02 C. à soupe de sucre cristallisé
- 01 petite cuillère de vanille
- 01 C. à soupe de beurre fondu
- Eau de fleurs d'oranger
- Pistaches émondées
- 02 C. à soupe de miel

Pour le sirop (cherbet) :
- 03 mesures de miel
- 01 mesure d'eau de fleurs d'oranger

Préparation:

Mélanger les amandes, le sucre, la vanille et le beurre fondu ; puis arrosez progressivement avec l'eau de fleurs d'oranger jusqu'à obtention d'une farce homogène.

Sur toute la longueur d'un plat beurré, bien ouvrir les boules de ktaïef arrosées de beurre sur une largeur de 15 cm.
Etalez dessus une fine couche de farce puis mettez au milieu un boudin de pistaches.
Versez le miel sur ce boudin, puis roulez ensuite autour le ktaïef et la farce sur un tour complet, de manière à obtenir la forme d'un cylindre.

Mettez le plat à four moyen pendant 20 minutes jusqu'à obtention d'une couleur dorée.
Dès sortie du four, arrosez avec du cherbet.
Coupez en losanges et présentez dans des caissettes.

ملفوفة بالفستق

كيفية التحضير:

أخلطي اللوز و السكر و الفانيليا و الزبدة الذائبة، بللي بماء الورد حتى تتحصلي على حشو متجانس، على طول صينية مدهونة بالزبدة إفرشي جيدا كريات القطايف بعرض 15 سم، إبسطي عليها طبقة رقيقة من الحشو و ضعي وسطها حربوش من حبات الفستق المقشرة، إسقي الحربوش بالعسل، ثم أديري طبقة القطايف المبللة بالزبدة و الحشو حول الحربوش دورة كاملة، لتتحصلي على شكل أسطوانة .

ضعي الصينية في فرن هادئ مدة 20 دقيقة إلى أن تكسب اللون الذهبي و فور خروجها من الفرن إسقيها بالشاربات و قطعيها ثم قدميها في حاويات.

المقادير:

- 3 إلى 4 كريات قطايف
- 100 غ زبدة ذائبة

الحشو :
- 2 كأس لوز مرحي
- 2 ملعقة أكل سكر مرحي
- 1 ملعقة صغيرة من الفانيليا
- 1 ملعقة كبيرة زبدة ذائبة
- ماء الزهر
- حبات فستق مقشرة
- 2 ملعقة أكل عسل

الشاربات :
- 3 كيلات عسل
- 1 كيلة من ماء الورد

Q'nidlettes

Ingrédients:

Pour la pâte :
- 04 mesures de farine " SIM "
- 01 mesure de smen ou de margarine fondue
- 01 pincée de sel
- 01 C. à soupe de vanille
- 01 verre d'eau de fleurs d'oranger

Pour la farce :
- 500 gr d'amandes moulues
- 300 gr de sucre glace tamisé
- 01 petite cuillère de vanille
- Zeste d'un citron
- 04 œufs

Pour le sirop (cherbet) :
- 03 mesures de miel
- 01 mesure d'eau de fleurs d'oranger

Préparation:

Pour la pâte :

Mettez la farine dans un récipient, faire une fontaine et versez la margarine refroidie. Ajoutez le sel et frottez entre les mains jusqu'à ce que la farine absorbe la margarine; Arrosez progressivement avec de l'eau de fleurs d'oranger jusqu'à obtenir une pâte lisse, puis laissez la reposer.

Préparation de la farce :

Dans un récipient, mettre les amandes, le sucre, la vanille et le zeste de citron. Ajoutez progressivement les œufs jusqu'à obtenir une farce homogène. Abaissez la pâte à l'aide d'un rouleau à pâtisserie puis à la machine à pâte N° 5 puis N° 7. Coupez des ronds à l'aide d'un verre et mettez chaque rondelle dans un moule beurré. Mettez la farce dans une poche à douille et formez avec des boules sur chaque moule. Décorez avec des boules argentées et laissez les gâteaux reposer pendant 02 heures. Disposez ensuite sur un plat saupoudré de farine puis mettre à cuire au four pendant 15 mn.

قنيدلات

المقادير:

العجينة:
- 4 كيلات فرينة سيم
- ١كيلة دهن أو مارغرين ذائبة
- أقرصة ملح
- أملعقة كبيرة من الفانيليا
- أكأس ماء ورد

الحشو:
- 500غ لوز مرحي
- 300غ سكر ناعم
- أملعقة صغيرة من الفانيليا
- قشرة حبة ليمون
- 4 حبات بيض

الشاربات:
- 3 كيلات عسل
- ١كيلة من ماء الورد

كيفية التحضير:

للعجينة:

ضعي الفرينة في وعاء و اعملي حفرة في الوسط و اسكبي المارغرين الذائبة باردة ، ضفي الملح و حكي الخليط بين الأيدي حتى تشرب الفرينة الدهن ، بللي بماء الورد تدريجيا حتى تتحصلي على عجينة ملساء و اتركيها ترتاح.

تحضير الحشو:

ضعي في وعاء اللوز و السكر و الفانيليا و قشرة الليمون، بللي بالبيض تدريجيا حتى تتحصلي على حشو متجانس و طري.

بواسطة حلال أبسطي العجينة و مرريها بآلة العجين في رقم 5 ثم 7 و قطعي بكأس شفرته رقيقة دوائر و ضعيهم في مول مدهون بالزبدة . ضعي الحشو في la poche à douille و اسكبي كرية منه في كل مول على العجينة ، زيني بكريات العقاش ، ثم اتركي الحلوى ترتاح لمدة ساعتين بعدها ضعيها في الفرن و فور طهيها اسقيها بالشاربات.

Cœur H'rissa

Ingrédients:

- 01 mesure d'amandes finement moulues (500 gr)
- 01 mesure de sucre glace tamisé (500 gr)
- 04 à 05 blancs d'œufs
- Colorant alimentaire dilué avec son arôme correspondant

Préparation:

Dans un récipient, mélangez les amandes avec le sucre glace tamisé. Humectez progressivement avec les blancs d'œufs jusqu'à obtenir une pâte lisse facile à travailler.

Partagez la pâte en boules et colorez chacune d'elles avec le colorant alimentaire dilué avec son arôme correspondant.

Ex : rose : colorant alimentaire rouge dilué avec l'arôme de fraise.

Formez un boudin de 15 cm de longueur, puis façonnez –le sous la forme d'un cœur, fermé par une rose faite de la même pâte mais de couleur différente. Décorez avec des boules de différentes couleurs et présentez dans des caissettes.

القلوب (هريسة)

المقادير:

- 1كيلة لوز مرحي رقيق (500غ)
- 1كيلة سكر ناعم مغربل (500غ)
- 4 إلى 5 بياض البيض
- ملون غذائي مبلل في نكهته المناسبة

كيفية التحضير:

في وعاء أخلطي جيدا اللوز و السكر الناعم ، بللي ببياض البيض تدريجيا إلى أن تتحصلي على عجينة ملساء سهلة الإستعمال. قسمي العجينة إلى كريات و لوني كل كرية حسب ذوقك و هذا بالملون الغذائي المبلل بالنكهة المناسبة له.

مثلا: الوردي: بالملون الغذائي الأحمر مبلل في نكهة الفراولة.

كوني حريوش طوله 15 سم و شكلي به قلب يغلق بوردة مصنوعة من نفس العجينة لكن بلون مخالف ، زيني بكريات العقاش الفضية و ضعي الحلوى في حاويات.

14

L'Arayech

Ingrédients:

Pour la pâte :
- 03 mesures de farine " SIM "
- 01 mesure de beurre
- 01 pincée de sel de table
- 01 C. à soupe de vanille
- 01 verre d'eau de fleurs d'oranger

Pour la farce :
- 03 mesures d'amandes moulues
- 01 mesure de sucre cristallisé
- Eau de fleurs d'oranger
- 01 C. à soupe de vanille

Pour le glaçage :
- 03 blancs d'œufs
- 02 C. à café de jus de citron
- 01 C. à café d'huile
- 05 C. à soupe d'eau de fleurs d'oranger
- Sucre glace tamisé
- Colorant alimentaire rouge

Pour la décoration :
- Roses et feuilles en pâte d'amande

Préparation:

Pour la pâte :
Dans un récipient, mettez la farine, la vanille et la pincée de sel. Faire une fontaine au milieu et verser le beurre fondu refroidi. Frottez bien le mélange entre les mains, puis humecter avec l'eau de fleurs d'oranger jusqu'à obtenir une pâte lisse facile à travailler. Partagez en boules et laissez reposer.

Pour la farce :
Mélangez les amandes, le sucre et la vanille. Humectez progressivement avec de l'eau de fleurs d'oranger jusqu'à obtention d'une farce homogène, et formez des boules de 03 cm de diamètre. Sur un plan de travail saupoudré de farine, abaissez la pâte à une épaisseur de 03 mm. Découpez des ronds avec un verre de 10 cm de diamètre, dans lesquels vous disposerez des boudins de farce.
Il faut donner à la farce une forme en Y. Avec le bout des doigts, relevez les bords de la pâte vers le centre en suivant la forme en Y de la farce, bien refermer les bords puis retournez les gâteaux. Disposez -les sur un plat saupoudré de farine et mettre au four à 200° jusqu'à obtention d'une couleur dorée.

Pour le glaçage :
Battre les blancs d'œufs, ajoutez le jus de citron, l'huile et l'eau de fleurs d'oranger. Mélangez le tout puis ajoutez progressivement le sucre glace jusqu'à obtenir un glaçage qui ne coule pas. Testez sur un gâteau : si c'est trop coulant, ajoutez du sucre glace.
Prendre une part de glaçage et ajoutez le colorant rouge dilué avec de l'eau de fleurs d'oranger, pour obtenir un glaçage rose.
A l'aide d'une spatule, remuez ensemble les glaçages rose et blanc, sans que les couleurs ne se mélangent.
Trempez la surface des gâteaux dans le glaçage, et avant qu'il ne sèche, décorez-les avec des feuilles et trois roses de différentes couleurs, faites avec de la pâte d'amande.

عرايش

المقادير:

للعجينة:
- 3 كيلات فرينة سيم
- 1 كيلة زبدة
- 1 قرصة ملح المائدة
- 1 ملعقة أكل فانيليا
- 1 كأس من ماء الورد

للحشو:
- 3 كيلات لوز مرحي
- 1 كيلة سكر مسحوق
- ماء ورد
- 1 ملعقة أكل فانيليا

للطلاء:
- 3 بياض البيض
- 2 ملاعق أكل عصير الليمون
- 1 ملعقة صغيرة زيت
- 5 ملاعق أكل من ماء الورد
- ملون غذائي أحمر
- سكر ناعم مغربل

للتزيين:
- عجينة اللوز

كيفية التحضير:

العجينة: ضعي في وعاء الفرينة ، الملح ، الفانيليا ، شكلي حفرة في الوسط و اسكبي الزبدة الذائبة باردة.

حكي الخليط جيدا بين يديك و بللي بماء الورد إلى أن تتحصلي على عجينة ملساء، قسميها إلى كريات و اتركيها ترتاح.

في حين حضري الحشو بخلط اللوز و السكر و الفانيليا بللي بماء الورد تدريجيا إلى أن تتحصلي على حشو متجانس، كوني كريات قطرها 3 سم.

على طاولة عمل مرشوشة بالفرينة ، ابسطي العجينة بسمك 3 ملم ، قطعي دوائر بواسطة كأس قطره 10 سم، ضعي في وسط كل دائرة حشو شكله شكل Y ، إرفعي أطراف العجينة بأصابعك نحو المركز و اغلقي على الحشو و اقلبي العجينة ثم ضعيها في صينية مرشوشة بالفرينة لتطهى في فرن درجته 200 درجة حتى يصير قاعها ذهبيا.

تحضير الطلاء: إخفقي بياض البيض ، ضفي إليه عصير الليمون و الزيت و ماء الورد إخلطي الكل ثم أضيفي السكر الناعم تدريجيا حتى تتحصلي على عجينة طلاء. جربي الطلاء على الحبة الأولى و إذا بقي سائلا أضيفي قليلا من السكر الناعم.

خذي قليلا من الطلاء ، ضفي إليه الملون الغذائي الأحمر مبلل بماء الورد، لتتحصلي على طلاء وردي بواسطة ملعقة أخلطي قليلا و بلطف الطلاء الأبيض مع الطلاء الوردي بدون أن يفقدا لونهما.

إغطسي وجه الحلوى في الطلاء المزخرف و قبل أن يجف زينيه بورقات و ثلاث ورود مختلفة الألوان مصنوعة من عجينة اللوز.

Quadrillé aux pistaches et aux amandes

Ingrédients:

Pour la pâte :
• Farine " SIM "
• 300 gr de beurre
• 03 œufs
• 07 C. à soupe de sucre glace tamisé
• 1/2 sachet de levure chimique
• 01 C à soupe de vanille

Pour la farce :
• 01 mesure et demie d'amandes moulues
• 01 mesure et demie de pistaches moulues
• 01 mesure de sucre cristallisé
• 01 C. à soupe de vanille
• Eau de fleurs d'oranger
• Colorant alimentaire vert

Pour la décoration :
• Gélatine
• Pistaches moulues

Préparation:

Pour la pâte :
Dans un récipient, travaillez le beurre en pommade. Ajoutez le sucre glace, les œufs, la levure chimique et la vanille ; puis progressivement la farine, jusqu'à obtention d'une pâte lisse.
Formez des boules de 03 cm de diamètre et laissez reposer.

Pour la farce :
Dans un récipient, mélangez les amandes, les pistaches, le sucre et la vanille. Ajoutez le colorant alimentaire vert dilué dans de l'eau de fleurs d'oranger. Continuez de mélanger jusqu'à obtenir une farce homogène.
Prenez une boule de pâte, et à l'aide du pouce, pressez fortement au milieu. Mettez un peu de farce verte et refermez la pâte, de manière à lui redonner sa forme.
A l'aide d'un couteau, tracez sur la surface de la pâte des traits horizontaux puis verticaux de manière à former un quadrillé.
Mettez les gâteaux au four sur un plat saupoudré de farine à four moyen pendant 20 mn.
A l'aide d'un pinceau étalez la gélatine sur les contours, puis saupoudrez ces derniers de pistaches moulues.

شبكة باللوز و الفستق

المقادير:

العجينة:
• فرينة سيم
• 300 غ زبدة
• 3 بيض
• 7 ملاعق أكل من السكر الناعم المغربل
• 1/2 نصف كيس خميرة كيمائية .
• 1 ملعقة من الفانيليا

الحشو:
• 1 و 1/2 كيلة لوز مرحي
• 1 و 1/2 كيلة فستق مرحي
• 1 كيلة سكر مسحوق
• ماء الزهر
• 1 ملعقة من الفانيليا
• ملون غذائي أخضر

التزيين:
• الجيلاتين
• الفستق المرحي

كيفية التحضير:

العجينة:
في إناء ادهني الزبدة كالمرهم ، أضيفي إليها السكر الناعم ، البيض الخميرة لكيمائية و الفانيليا ، ضفي الفرينة تدريجيا حتى تتحصلي على عجينة متجانسة ، كوني كريات قطرها 3 سم و اتركيها ترتاح.

الحشو:
في وعاء أخلطي اللوز و الفستق و السكر و الفانيليا ضفي إليهم الملون الغذائي الأخضر المبلل في قليل من ماء الورد و استمري في الخلط إلى أن تتحصلي على حشو متجانس.

خذي كرية من العجينة و بواسطة الإبهم إبسطيهي في الوسط جيدا ، ضعي قليلا من الحشو الأخضر ثم أغلقي عليه بالعجينة إلى أن تسترجع الكرية شكلها.
بواسطة سكين ، خططي سطح الكرية بخطوط عمودية متوازية ثم أفقية إلى أن تحصلي على شكل شبكة.

ضعي الحلوى في صينية مرشوشة بالفرينة داخل الفرن لمدة 20 دقيقة و بعد طهي الحلوى إدهني جانب الحلوى بالجيلاتين بواسطة الريشة ثم اغطسيها في الفستق مرحي.

M'chewek

Ingrédients:

- 03 mesures d'amandes moulues
- 01 mesures de sucre cristalisé
- 01 C. à soupe de vanille
- 04 à 05 blancs d'œufs (selon la grosseur des œufs)

Pour la décoration :
- Amandes effilées
- Cerise confites

Préparation:

Dans un récipient, mélangez les amandes, le sucre glace tamisé et la vanille. Ajoutez progressivement les blancs d'œufs jusqu'à obtention d'une pâte malléable.

Formez un boudin de 07 cm de longueur, donnez-lui la forme d'un croissant, plongez-le ensuite dans les blanc d'œufs battus en neige, puis dans les amandes effilées.

Décorez les bouts avec 1/2 cerise confite.

Disposez sur un plat saupoudré de farine, mettre à cuire à four moyen pendant 20 mn; puis présentez dans des caissettes.

مشوك

المقادير:

- 3 كيلات لوز مرحي
- 1 كيلات سكر مسحوق
- 1 ملعقة كبيرة من الفانيليا
- 4 إلى 5 بياض البيض حسب الحجم

للتزيين:
- لوز منسل
- كرز مجفف

كيفية التحضير:

في و عاء أخلطي اللوز، السكر الناعم المغربل ، الفانيليا ، ضفي بياض البيض تدريجيا إلى أن تتحصلي على عجينة متماسكة ، شكلي حربوش طوله 7 سم و كوني شكل هلال.

أغطسي الأهلة في بياض البيض المخفق كالثلج ثم في اللوز المنسل ضفي نصفي حبات الكرز المجففة على الطرفين.

ضعي الحلوى في صينية مرشوشة بالفرينة تطهى في فرن متوسط الحرارة لمدة 20 دقيقة إلى أن يميل لونها إلى الذهبي و قدميها في حاويات.

Les feuilles vertes

Ingrédients:

Pour la pâte :
• 04 mesures de farine "SIM"
• 01 mesure de beurre
• 01 œuf
• 01 C. à soupe de vanille
• Colorant alimentaire vert
• 01 petite cuillère d'eau de fleurs d'oranger

Pour la farce :
• 01 mesure de noix de coco moulue
• 1/2 mesure de pistaches moulues
• 1/2 mesure d'amandes moulues
• 02 blancs d'œufs`
• 01 C. à soupe de vanille

Ingrédients :
• 500 gr de miel
• 1/4 L d'eau de fleurs d'oranger

Pour la décoration :
• Pistaches entières émondées
• Noix de coco de couleur verte.

Préparation:

Dans un récipient, travaillez le beurre en pommade. Ajoutez l'œuf, la vanille et le colorant vert dilué avec l'eau de fleurs d'oranger. Continuez à mélanger puis versez progressivement la farine jusqu'à obtenir une pâte lisse.

Préparez la farce avec la noix de coco, les pistaches et les amandes. Ajoutez la vanille puis humectez progressivement avec les blancs d'œufs jusqu'à obtenir une farce homogène.

Sur un plan de travail saupoudré de farine, abaissez la pâte à l'aide d'un rouleau sur une épaisseur de 03 mm.

La recouvrir avec de la farce, puis recouvrir le tout avec la deuxième pâte. Abaissez le tout à l'aide d'un rouleau puis coupez des feuilles avec un moule en forme de feuille.

A l'aide d'un couteau, tracez les nervures de la feuille et décorez le bout de la feuille avec une pistache.

Disposez les feuilles sur un plat saupoudré de farine, puis mettre à cuire à four moyen pendant 20 mn.

Dès sortie du four, trempez dans le sirop, décorez la surface avec de la noix de coco verte et présentez dans des caissettes.

وريقات خضراء

كيفية التحضير:

في إناء ، ادهني الزبدة بيدك كالمرهم، ضيفي البيضة و الفانيليا و الملون الغذائي الأخضر المبلل بماء الورد ، إستمري في الخلط و اسكبي الفرينة تدريجيا ، إلى أن تتحصلي على عجينة ملساء. حضري الحشو بجوز الهند و الفستق و اللوز و ضيفي الفانيليا ثم بللي ببياض البيض تدريجيا حتى تتحصلي على حشو متجانس .

على طاولة العمل مرشوشة بالفرينة إبسطي بواسطة الحلال العجينة إلى سمك 3 ملم أبسطي عليها الحشو و غطي الكل بعجينة ثانية أبسطي الكل بحلال ، ثم قطعي وريقات بواسطة مول شكله ورقة عندها خططي بالسكين و زيني حافة الورقة بحبة فستق.

ضعي الوريقات في صينية مرشوشة بالفرينة و ضعيها في فرن لمدة 20 دقيقة و فور خروجها من الفرن أغطسيها في الشاربات و زينيها بجوز الهند الأخضر و قدميها في حاويات.

المقادير:

العجينة:
• 4 كيلات فرينة سيم
• 1 كيلة زبدة
• 1 بيضة كاملة
• 1 ملعقة كبيرة من الفانيليا
• ملون غذائي أخضر
• 1 ملعقة صغيرة من ماء الورد

الحشو:
• 1 كيلة من جوز الهند مرحي
• 1/2 كيلة فستق مرحي
• 1/2 كيلة لوز مرحي
• 2 بياض البيض
• 1 ملعقة كبيرة من الفانيليا

الشاربات:
• 500 غ من العسل
• 1/4 لتر من ماء الورد

للتزيين:
• حبات فستق كاملة
• جوز الهند ملون أخضر

Etoiles en pâte d'amande

Ingrédients:

Pour la pâte d'amande orange :
- 03 mesures d'amandes finement moulues
- 01 mesures de sucre glace tamisé
- 02 blancs d'œufs
- Colorant alimentaire orange dilué dans de l'eau de fleurs d'oranger

Pour la pâte marron :
- 01 paquet de biscuits finement moulus
- 01 poignée d'amandes finement moulues
- 01 boîte de Halwat Turc
- Confiture d'abricot (liquide)
- Colorant alimentaire marron dilué dans de l'eau de fleurs d'oranger

Pour la décoration :
- Paillettes alimentaires dorées
- Nœuds satinés dorés

Préparation:

Préparation de la pâte d'amande orange :
Dans un récipient, mélangez les amandes et le sucre. Ajoutez le colorant alimentaire orange dilué dans de l'eau de fleurs d'oranger, puis progressivement les blancs d'œufs, jusqu'à obtenir une pâte facile à travailler.

Préparation de la pâte d'amande marron :
Dans un récipient, mélangez le biscuit, les amandes, le Halwat Turc et le colorant alimentaire marron dilué dans de l'eau de fleurs d'oranger. Ajoutez progressivement la confiture d'abricots, jusqu'à obtention d'une pâte facile à travailler.
Sur un plan de travail saupoudré de sucre glace, étalez à l'aide d'un rouleau la pâte marron sur une épaisseur de 04 mm ; puis de la même manière pour la pâte orange.
A l'aide d'un moule en forme d'étoile, découpez des étoiles marrons et oranges. Superposez ensuite une étoile marron, puis une étoile orange, puis une étoile marron (selon le choix).
Décorez la surface avec un nœud satiné, saupoudrez avec des paillettes alimentaires dorées et présentez.

نجوم بعجينة اللوز

المقادير:

لعجينة اللوز البرتقالية:
- 3 كيلات لوز مرحي رقيق
- 1 كيلات سكر ناعم مغربل
- 2 بياض البيض
- ملون غذائي برتقالي مبلل بماء الورد

للعجينة البنية:
- 1 كيس بسكويت مرحي رقيق
- 1 كمشة لوز مرحي رقيق
- 1 علبة حلوة الترك
- مربى المشمش
- ملون غذائي بني مبلل بماء الورد

للتزيين:
- جزيئات مزركشة ذهبية
- عقد الساتان الذهبية

كيفية التحضير:

كيفية التحضير البرتقالية:
في إناء أخلطي اللوز المرحي مع السكر الناعم ، ضفي الملون الغذائي البرتقالي المبلل بماء الورد، ضفي بياض البيض تدريجيا إلى تتحصلي على عجينة ملساء سهلة الإستعمال.

كيفية تحضير عجينة اللوز البنية:
في إناء أخلطي البسكويت و اللوز و حلوة الترك و الملون الغذائي البني المبلل بماء الورد، ضفي مربى المشمش تدريجيا إلى أن تتحصلي على عجينة ملساء سهلة الإستعمال. على طاولة عمل مرشوشة بالسكر الناعم إبسطي بواسطة الحلال العجينة البنية بسمك 4 ملم و كذلك عجينة اللوز البرتقالية.

و بواسطة مول شكله شكل نجمة قطعي نجوم بنية و أخرى برتقالية.

ضعي نجمة بنية ثم برتقالية و فوقها نجمة بنية (حسب إختيارك) ثم زيني السطح بعقدة من الساتان و ذرذري عليه الجزيئات المزركشة الذهبية وقدميها في حاويات.

Ouch El Boulboul aux pistaches

Ingrédients:

- 05 boules de ktaïef
- 100 g de beurre
- Eau de fleurs d'oranger

Pour la farce :
- 02 verres d'amandes moulues
- 01 C. à soupe de sucre cristallisé
- 01 petite cuillerée de vanille
- 01 C. à soupe de beurre fondu
- Eau de fleurs d'oranger

Pour le sirop (cherbet) :
- 03 mesures de miel
- 01 mesure d'eau de fleurs d'oranger

Pour la décoration :
- Quelques pistaches émondées

Préparation:

Mélangez les amandes, le sucre, la vanille et le beurre fondu, puis arrosez progressivement avec l'eau de fleurs d'oranger jusqu'à obtention d'une farce homogène.

Sur un plat beurré, ouvrez bien les boules de ktaïef préalablement beurrées, puis fourrez-les avec la farce.

Roulez bien ensuite les boules de ktaïef sur elles-mêmes, puis aplatissez dessus les pistaches.

Mettre au four moyen pendant 20 minutes, jusqu'à obtenir une couleur dorée.

Pour finir, arrosez la préparation avec du sirop (cherbet) dès sortie du four.

عش البلبل بالفستق

المقادير:

- 5 كريات قطايف (500غ)
- 100غ زبدة
- ماء الورد

الحشو:
- 2 كأس لوز مسحوق
- 1 ملعقة أكل سكر مرحي
- 1 ملعقة صغيرة من الفانيليا
- 1 ملعقة كبيرة من الزبدة الذائبة
- ماء الورد

الشاربات:
- 3 كيلات عسل
- 1 كيلة من ماء الورد

للتزيين:
- حبات فستق كاملة

كيفية التحضير:

أخلطي اللوز و السكر و الفانيليا و الزبدة الذائبة، بللي بماء الورد حتى تتحصلي على حشو متجانس.

في مول مطلي جيدا بالزبدة، افتحي جيدا كريات القطايف التي قد بللنها بالزبدة و ضعي بداخلها الحشو، لفي القطايف جيدا حول نفسها و ابسطي عليها الفستق و ضعيها في فرن هادئ مدة 20 دقيقة إلى أن تكسب اللون الذهبي و فور خروجها من الفرن اسقيها بالشاربات.

Kefta

Ingrédients:

Pour la pâte :
- 01 mesure d'amandes finement moulues
- 01 mesure et demie de sucre glace tamisé
- 01 à 02 blancs d'œufs
- 01 C. à soupe de beurre fondu
- 01 petite cuillère de vanille
- Colorants alimentaires violet, rose et blanc
- Fruits confits
- Eau de fleurs d'oranger

Pour la décoration :
- Boules argentées

Préparation:

Dans un récipient, mélangez les amandes, le sucre, la vanille et le beurre. Humectez progressivement avec les blancs d'œufs jusqu'à obtention d'une pâte lisse facile à travailler.

Formez 03 boules. Colorez la première avec le colorant violet dilué dans de l'eau de fleurs d'oranger, colorez la deuxième avec le colorant blanc dilué dans de l'eau fleurs d'oranger (pour obtenir un blanc éclatant); puis à la troisième le colorant rose dilué lui aussi dans de l'eau de fleurs d'oranger ; en ajoutant à la pâte rose des fruits confits découpés en petits dés.

Sur un plan de travail saupoudré de sucre glace, étalez à l'aide d'un rouleau la pâte blanche sur une épaisseur de 04 mm, puis procédez de même pour la pâte violette. Posez une couche de pâte blanche, puis mettre dessus une couche de pâte violette. Avec la pâte rose, formez un boudin d'une épaisseur de 02 cm, et posez le sur le bord des deux pâtes.

Enroulez ensuite ces dernières tout autour du boudin de farce, sur un tour complet. Découpez ensuite des losanges de 03 cm de longueur. Décorez chaque losange avec deux rondelles de pâte : la première violette et la deuxième rose, puis ajoutez au milieu une boule argentée et présentez les gâteaux dans des caissettes.

كفتة

المقادير:

العجينة:
- 1 كيلة لوز مرحي جيدا
- 1 كيلة و نصف سكر ناعم مغربل
- 1 إلى 2 بياض البيض
- 1 ملعقة كبيرة من الزبدة الذائبة
- 1 ملعقة صغيرة من الفانيليا
- ملون غذائي بنفسجي ،وردي، أبيض
- الفواكه المجففة
- ماء الورد

للتزيين:
- كريات العقاش

كيفية التحضير:

ضعي في و عاء اللوز ، السكر، الفانيليا و الزبدة، بللي ببياض البيض تدريجيا حتى تتحصلي على عجينة ملساء سهلة الإستعمال . كوني منها ثلاث كريات، لوني الأولى بالملون الغذائي البنفسجي المبلل بقليل من ماء الورد و إلى الثانية الملون الغذائي الأبيض المبلل بماء الورد لتتحصلي على أبيض ناصع. و إلى الثالثة الملون الغذائي الوردي المبلل بماء الورد مع إضافة الفواكه المجففة مقطعة إلى قطع صغيرة .

على طاولة عمل مرشوشة بالسكر الناعم .أبسطي بواسطة الحلال العجينة البيضاء بسمك 4 ملم و كذلك البنفسجية.

أبسطي طبقة من العجينة البيضاء و ضعي عليها طبقة من العجينة البنفسجية ثم كوني حربوش من عجينة اللوز الوردية بسمك 2 سم أديري عليه الطبقتين دورة كاملة، ثم قطعي مقروطات طولها 3 سم، زينيها بقرصين من نفس العجينة ، الأول بنفسجي و فوقه الوردي ، ثم ضفي عقاشة على الوسط و قدمي الحلوى في حاويات.

M'Kiadettes

Ingrédients:

- 03 mesures de farine " SIM "
- 01 mesure de beurre fondu
- 01 verre de sucre glace
- 02 œufs
- 1/2 verre d'eau de fleurs d'oranger
- 01 pincée de sel

Pour la farce :

- 03 mesures d'amandes non émondées moulues
- 01 mesure de sucre cristallisé
- 01 C. à soupe de vanille
- 1/2 verre d'eau de fleurs d'oranger

Pour le sirop (cherbet) :

- 03 mesures de miel
- 01 mesure d'eau de fleurs d'oranger

Préparation:

Préparation de la pâte:

Dans une terrine, mettre la farine tamisée, le sel et le sucre glace.

Faire une fontaine au milieu, ajouter le beurre fondu refroidi et les œufs.

Mélangez bien le tout et humectez progressivement avec l'eau de fleurs d'oranger jusqu'à obtenir une pâte malléable facile à travailler.

Préparation de la farce :

Dans une terrine, mettre les amandes non émondées et le sucre. Ajoutez la vanille et humectez le tout avec l'eau de fleurs d'oranger.

Sur un plan de travail saupoudré de farine, abaissez la pâte à une épaisseur de 03 mm.

Mettre en-dessous la farce de même épaisseur et abaissez le tout à l'aide d'un rouleau à pâtisserie.

A l'aide d'un couteau, coupez des bandes de 15 cm de longueur et de 03 cm de largeur.

Roulez la bande sur elle-même en spirale de manière à obtenir la forme d'un escargot.

Mettre à cuire à four moyen sur un plat saupoudré de farine pendant 25 mn.

Dès sortie du four, plongez dans le sirop.

مقيعدات

المقادير:

للعجينة:

- 3 كيلات فرينة سيم
- 1 كيلة زبدة ذائبة
- 1 كأس سكر ناعم
- 2 بيض
- 1/2 كأس ماء الورد
- 1 قرصة ملح

للحشو :

- 3 كيلات لوز غير مقشر مرحي
- 1 كيلة سكر مسحوق
- 1 ملعقة أكل من الفانيليا
- 1/2 كأس من ماء الورد

للشاربات:

- 3 كيلات عسل
- 1 كيلة من ماء الورد

كيفية التحضير:

العجينة:

ضعي في وعاء الفرينة المغربلة و قرصة الملح و السكر الناعم ، ضعي حفرة في الوسط ثم اسكبي الزبدة الذائبة باردة، ضفي البيض و اخلطي الكل و هذا مع التبليل بماء الورد تدريجيا حتى تتحصلي على عجينة ملساء سهلة الإستعمال.

كيفية تحضير الحشو :

ضعي في وعاء اللوز الغير المقشر المرحي و السكر ، ضفي الفانيليا ثم بللي بماء الورد تدريجيا.

على طاولة عمل مرشوشة بالفرينة ، ابسطي العجينة بسمك 3 ملم. ضعي عليها الحشو و ابسطي الكل بواسطة الحلال.

بواسطة سكين قطعي أشرطة طولها 15 سم و عرضها 3 سم أديري العجينة حول نفسها لتتحصلي على شكل حلزوني، ضعي الحلوى في صينية مرشوشة بالفرينة في الفرن لمدة 25 دقيقة، فور خروجها من الفرن أغطسيها في الشاربات.

T'cherek El Aryane (en forme de cigare)

Ingrédients:

Pour la pâte :
- 03 mesures de farine " SIM "
- 01 mesure de smen ou de margarine fondue
- 1/2 mesure de sucre cristallisé
- 01 œuf entier
- 1/2 sachet de levure chimique
- 1/2 verre d'eau de rose
- 1/2 verre de lait
- 01 C. à soupe de vanille

Pour la farce:
- 03 mesures d'amandes moulues
- 01 mesure de sucre cristallisé
- Eau de fleurs d'oranger
- 01 C. à soupe de vanille
- Zeste d'un citron

Pour la décoration :
- Amandes grossièrement moulues
- 02 jaunes d'œuf

Préparation:

Dans un récipient, mettre la farine et le beurre. Bien frotter le mélange entre les mains jusqu'à ce que le beurre soit bien absorbé par la farine. Ajouter le sucre, l'œuf, la levure chimique et la vanille, jusqu'à obtenir un mélange homogène.

Humecter progressivement avec l'eau de fleurs d'oranger et le lait jusqu'à obtention d'une pâte souple facile à travailler.Former des boules et laisser reposer.

Préparer la farce avec les ingrédients indiqués. Arrosez progressivement avec de l'eau de rose, jusqu'à obtenir une pâte homogène.

Abaisser la pâte à l'aide d'un rouleau à pâtisserie à une épaisseur de 03 mm. Dans une fiche cartonnée, découper un triangle de 10 cm de base et 13 cm de côté. Poser le triangle sur la pâte et découper la même forme avec une roulette. Disposer la farce à la base du triangle formé et rouler jusqu'à la pointe pour obtenir une forme de cigare.

A l'aide d'un pinceau, badigeonnez avec le jaune d'œuf, plongez ensuite dans les amandes concassées, mettre à cuire au four à 200 ° dans un plateau saupoudré de farine, jusqu'à obtenir une couleur dorée.

تشارك العريان (بشكل سيڢار)

المقادير:

العجينة:
- 3 كيلات فرينة سيم
- 1 كيلة سمن أو مارغرين
- 1/2 كيلة سكر مرحي
- 1 بيضة كاملة
- 1/2 كيس خميرة كيميائية
- 1 ملعقة كبيرة من الفانيليا
- 1/2 كأس ماء الورد + 1/2 كأس حليب

الحشو:
- 3 كيلات لوز مرحي
- 1 كيلة سكر مرحي
- قشرة حبة ليمون
- ملعقة كبيرة من الفانيليا
- ماء الورد

للتزيين:
- لوز مرحي خشن
- 2 صفار البيض

كيفية التحضير:

في و عاء ضعي الفرينة و الزبدة، حكي الخليط جيدا بين يديك حتى يدخل الدهن الفرينة ، ضفي السكر ثم البيضة و الخميرة الكيميائية و الفانيليا إلى أن تتحصلي على خليط متجانس بللي بخليط ماء الورد و الحليب تدريجيا حتى تتحصلي على عجينة ملساء سهلة الإستعمال ، قسميها إلى كريات و اتركيها ترتاح. حضري الحشو باللوز و السكر و قشرة الليمون و الفانيليا ضفي ماء الورد حتى تتحصلي على حشو متجانس.أبسطي العجينة بالحلال حتى يصبح سمكها 3 ملم. خذي ورق مقوى وارسمي المثلث على العجينة و قطعي الشكل بالحرارة.

ضعي حربوش من الحشو على قاعدة المثلث ثم لفي قاعدة المثلث على الحشو عدة لفات حتى تصلي إلى القمة لتتحصلي على شكل سيڢار.

بواسطة ريشة اطلي صفار البيض على الحلوى ثم ذرري عليه اللوز ضعي الحلوى في صينية مرشوشة بالفرينة في فرن درجته 200 درجة حتى يصير لونها ذهبيا.

L'Arayech

Ingrédients:

Pour la pâte :
- 03 mesures de farine " SIM "
- 01 mesure de beurre
- 01 pincée de sel de table
- 01 C. à soupe de vanille
- 01 verre d'eau de fleurs d'oranger

Pour la farce :
- 03 mesures d'amandes moulues
- 01 mesure de sucre cristallisé
- Eau de fleurs d'oranger
- 01 C. à soupe de vanille

Pour le glaçage :
- 03 blancs d'œufs
- 02 C. à soupe de jus de citron
- 01 C. à café d'huile
- 05 C. à soupe d'eau de fleurs d'oranger
- Sucre glace tamisé
- Colorant alimentaire bleu

Pour la décoration :
- Noix de coco bleue

Préparation:

Pour la pâte :
Dans un récipient, mettez la farine, la vanille et la pincée de sel. Faire une fontaine au milieu et verser le beurre fondu refroidi. Frottez bien le mélange entre les mains, puis humecter avec l'eau de fleurs d'oranger jusqu'à obtenir une pâte lisse facile à travailler. Partagez en boules et laissez reposer.

Pour la farce :
Mélangez les amandes, le sucre et la vanille. Humectez progressivement avec de l'eau de fleurs d'oranger jusqu'à obtention d'une farce homogène, et formez des boules de 03 cm de diamètre. Sur un plan de travail saupoudré de farine, abaissez la pâte à une épaisseur de 03 mm. Découpez des ronds avec un verre de 10 cm de diamètre, dans lesquels vous disposerez des boudins de farce. Il faut donner à la farce une forme en Y. Avec le bout des doigts, relevez les bords de la pâte vers le centre en suivant la forme en Y de la farce, bien refermer les bords puis retournez les gâteaux. Disposez -les sur un plat saupoudré de farine et mettre au four à 200° jusqu'à obtention d'une couleur dorée.

Pour le glaçage :
Battre les blancs d'œufs, ajoutez le jus de citron, l'huile et le colorant alimentaire bleu dilué dans l'eau de fleurs d'oranger. Mélangez le tout puis ajoutez progressivement le sucre glace jusqu'à obtenir un glaçage qui ne coule pas. Testez sur un gâteau : si c'est trop coulant, ajoutez du sucre glace. Trempez la surface des gâteaux dans le glaçage, et avant qu'il ne sèche, mettre un peu de glaçage dans une poche à douille et formez des étoiles au milieu de chaque pièce. Décorez ensuite avec la noix de coco bleue.

عرايش

المقادير:

للعجينة:
- 3 كيلات فرينة سيم
- 1 كيلة زبدة
- 1 قرصة ملح المائدة
- 1 ملعقة أكل فانيليا
- 1 كأس من ماء الورد

للحشو:
- 3 كيلات لوز مرحي
- 1 كيلة سكر مسحوق
- ماء الورد
- 1 ملعقة أكل فانيليا

للطلاء:
- 3 بياض البيض
- 2 ملاعق أكل عصير الليمون
- 1 ملعقة صغيرة زيت
- 5 ملاعق أكل من ماء الورد
- سكر ناعم مغربل
- ملون غذائي أزرق

للتزيين:
- جوز الهند أزرق

كيفية التحضير:

العجينة:
ضعي في وعاء الفرينة، الملح، الفانيليا، شكلي حفرة في الوسط و اسكبي الزبدة الذائبة باردة. حكي الخليط جيدا بين يديك و بللي بماء الورد إلى أن تتحصلي على عجينة ملساء، سميها إلى كريات و اتركيها ترتاح.

في حين حضري الحشو بخلط اللوز و السكر و الفانيليا، بللي بماء الورد تدريجيا إلى أن تحصلي على حشو متجانس، كوني كريات قطرها 3 سم. على طاولة عمل مرشوشة بالفرينة، ابسطي العجينة بواسطة حلال بسمك 3 ملم. قطعي شكل دوائر بواسطة كأس قطره 10 سم، ضعي في وسط كل دائرة حشو شكله Y، إرفعي أطراف العجينة بأصابعك نحو المركز و أغلقي على الحشو و اقلبي العجينة ثم ضعيها في صينية مرشوشة بالفرينة لتطهى في فرن درجته 200 درجة حتى يصير قاعها ذهبيا.

تحضير الطلاء:
نفقي بياض البيض. ضيفي إليه عصير الليمون و الزيت و الملون الغذائي الأزرق مبلل بماء زهر، أخلطي الكل ثم أضيفي السكر الناعم تدريجيا إلى أن تتحصلي على عجينة طلاء، غربي الطلاء على الحبة الأولى، إذا بقي سائلا أضيفي إليه السكر الناعم.

غطسي وجه الحلوى في الطلاء الأزرق و قبل أن يجف ضعي قليلا من الطلاء في la poche à douille و كوني نجوم في وسط كل حبة، زيني بجوز الهند الأزرق.

Fleurs roses

Ingrédients:

Pour la pâte :
• 500 gr d'amandes moulues
• 250 gr de sucre cristallisé
• 03 blancs d'œufs
• Colorant alimentaire rouge
• Arôme de fraise

Pour la décoration :
• Fruits confits
• Boules argentées
• Gélatine

Préparation:

Dans un récipient, mélangez les amandes moulues, le sucre cristallisé et le colorant alimentaire rouge dilué dans de l'arôme de fraise.

Ajoutez progressivement les blancs d'œufs jusqu'à obtention d'une pâte homogène. Sur un plan de travail saupoudré de farine, abaissez la pâte à une épaisseur de 2 cm ; découpez cette dernière avec un moule en forme de fleur, puis mettez au four sur un plat saupoudré de farine pendant 15mn. A l'aide d'un pinceau fin trempé dans le colorant alimentaire rouge dilué avec un peu d'eau de fleurs d'oranger, tracez des traits sur la fleur. Ajoutez 1/2 fruit confit au centre de la fleur, puis décorez avec des perles argentées.

Pour finir et à l'aide d'un pinceau, recouvrez la surface du gâteau avec de la gélatine pour lui donner du brillant, puis saupoudrez de sucre glace.

الأزهار الوردية

المقادير:

للعجينة:
• 500 غ لوز مرحي
• 250غ سكر مسحوق
• 3 بياض البيض
• ملون غذائي أحمر
• نكهة الفراولة

للتزيين:
• الفواكه المجففة
• كريات العقاش الفضية
• الجيلاتين

كيفية التحضير:

في إناء أخلطي اللوز المرحي مع السكر المسحوق و الملون الغذائي الأحمر المبلل في نكهة الفراولة. ضفي بياض البيض تدريجيا حتى تتحصلي على عجينة متجانسة. على طاولة عمل مرشوشة بالفرينة إبسطي العجينة بسمك 2 سم و بواسطة مول شكله شكل زهرة قطعي الحلوى و ضعيها على صينية مرشوشة بالفرينة داخل الفرن لمدة 15 دقيقة.

بللي الملون الغذائي الأحمر مع قليل من ماء الورد و بواسطة ريشة رقيقة خططي على الوردة، ضعي نصف فاكهة مجففة في مركز الزهرة وزينيها بحبة عقاش فضية.

في الأخير إدهني بواسطة ريشة سطح الحلوى بالجيلاتين لتكسب اللمعان و ذري عليها السكر الناعم.

Pain de mie

Ingrédients:

- Farine " SIM "
- 500 gr de beurre
- 08 C. à soupe de sucre glace
- 04 œufs
- 200 grs d'amandes moulues
- 01 C. à soupe de vanille
- 01 boîte de confiture d'abricots liquide (500 gr)
- 1/2 sachet de levure chimique

Pour la décoration :
- Amandes et pistaches moulues
- Amandes effilées

Préparation:

Dans un récipient, travaillez le beurre en pommade. Ajoutez le sucre glace et continuez de mélanger.

Ajoutez les œufs, la levure chimique, les amandes et la vanille, puis progressivement la farine ; jusqu'à obtention d'une pâte lisse facile à travailler.

Partagez cette pâte en deux boules et laissez reposer pendant 10 mns.

Sur un plat saupoudré de farine, abaissez la pâte à l'aide d'un rouleau sur une épaisseur de 02 cm.

Beurrez un plat allant au four, étalez la première pâte puis versez dessus la moitié de la boîte de confiture d'abricots.

Etalez dessus la deuxième pâte, puis mettre le plat au four pendant 30 à 40 mns jusqu'à obtention d'une couleur dorée.

Dès sortie du four, versez dessus la quantité restante de confiture d'abricot. Saupoudrez avec les pistaches et les amandes moulues.

Coupez le gâteau en carrés.

Posez ensuite une amande effilée sur chaque carré et présentez dans des caissettes

لبة الخبز

المقادير:

- الفرينة سيم
- 500 غ زبدة
- 8 ملاعق كبيرة سكر ناعم
- 4 بيض
- 200 غ لوز مرحي
- 1 ملعقة كبيرة فانيليا
- 1 علبة مربي المشمش (500غ سائلة)
- 1/2 كيس خميرة كيميائية.

التزيين:
- لوز مرحي
- فستق مرحي
- لوز منسل

كيفية التحضير:

في و عاء ادهني الزبدة كالمرهم ضفي إليها السكر الناعم و استمري في الخلط ، ضفي البيض و الخميرة الكيميائية و اللوز و الفانيليا ضفي الفرينة تدريجيا إلى أن تتحصلي على عجينة ملساء سهلة الإستعمال قسميها إلى كريتين و اتركيها ترتاح لمدة 10 دقائق .

على طاولة عمل مرشوشة بالفرينة إبسطي العجينة بواسطة الحلال بسمك 2 سم. ادهني صينية الفرن بالزبدة و ابسطي عليها العجينة الأولى ثم أسكبي نصف علبة مربى المشمش عليها عندها ابسطي العجينة الثانية. ضعي الصينية في الفرن لمدة 30 إلى 40 دقيقة حتى يميل لونها إلى الذهبي. فور خروجها من الفرن أسكبي ماتبقى من مربى المشمش و ذرذري على السطح اللوز و الفستق المرحيين، قطعي الحلوى إلى مربعات و ضعي في و سط سطح كل مربع اللوز المنسل و قدميها في حاويات.

Rose de sable

Ingrédients:

Pour la pâte :
- 03 mesures de farine " SIM "
- 01 mesure de beurre ou de margarine fondue
- 01 C. à café de vanille
- 01 pincée de sel
- Eau de fleurs d'oranger

Pour le sirop :
- 03 mesures de miel
- 01 mesure d'eau de fleurs d'oranger

Pour la décoration :
- Amandes moulues
- Colorant alimentaire doré

Préparation:

Dans un récipient, mettre la farine tamisée et la pincée de sel. Faire une fontaine au milieu et verser le smen refroidi.

Mouillez petit à petit avec l'eau de fleurs d'oranger jusqu'à obtenir une pâte malléable.

Formez des boules et laissez reposer pendant 20 mn. Sur un plan de travail enfariné, abaisser la pâte sur une épaisseur de 02 mm.

A l'aide d'un moule rond, découper des ronds de 10 cm de diamètre.

Superposez 03 rondelles, pressez les bien au milieu , retournez-les puis froissez-les vers le bas de manière à obtenir la forme d'une rose de sable.

Faites frire à l'intérieur d'une boîte de concentré de tomate pleine d'huile de friture, pour que la rose ne perde pas sa forme.

Dès cuisson, trempez-la dans le sirop (cherbet).

Pour finir, tracez les contours avec le colorant alimentaire doré, puis saupoudrez avec les amandes moulues.

وردة الرمال

كيفية التحضير:

ضعي في وعاء الفرينة المغربلة مع قرصة ملح، ضعي حفرة في الوسط و اسكبي المارغرين الذائبة باردة

بللي بماء الورد تدريجيا إلى أن تتحصلي على عجينة سهلة الإستعمال. كوني كريات و اتركيها ترتاح لمدة 20 دقيقة. على طاولة عمل مرشوشة بالفرينة ابسطي العجينة بسمك 2 ملم بواسطة مول شكله دائري قطعي دوائر قطرها 10سم . ضعي ثلاث دوائر الواحدة فوق الأخرى. إضغطي عليهم جيدا في الوسط. اقلبيهم و كمشيهم نحو الأسفل لتتحصلي على شكل وردة. سخني الزيت و هذا داخل علبة طماطم فارغة لكي لاتفقد الوردة شكلها (لاتنحل)، إقلبي الوردة و فور كسبها اللون الذهبي قطريها و عسليها في الشاربات. في النهاية زيني حواف الوردة بالجزيئات المزركشة الغذائية الذهبية و ذرذري عليها اللوز المرحي.

المقادير:

للعجينة:
- 3 كيلات فرينة سيم
- 1 كيلة زبدة أو مارغرين ذائبة
- 1 ملعقة صغيرة من الفانيليا
- 1 قرصة ملح
- ماء الورد

للشاربات:
- 3 كيلات عسل
- 1 كيلة من ماء الورد

للتزيين:
- لوز مرحي
- جزيئات مزركشة غذائية ذهبية

Etape n°: 01

على طاولة عمل مرشوشة بالفرينة،
إبسطي العجينة بسمك 2 ملم.

Sur un plan de travail enfariné,
abaisser la pâte sur une épaisseur de
02 mm.

Etape n°: 02

بواسطة مول دائري الشكل قطعي دوائر
قطرها 10 سم

A l'aide d'un moule rond, découper
des ronds de 10 cm de diamètre.

Etape n°: 03

إنزعي البقايا لتستعمليهم كذلك.

Enlever les chutes et former une autre
boule avec

Etape n°: 04

ضعي 3 دوائر الواحدة فوق الأخرى.

Superposez 03 rondelles.

Etape n°: 05

إضغطي عليهم في الوسط.

Pressez les bien au milieu

Etape n°: 06

اقلبيهم و كمشيهم نحو الأسفل لتتحصلي على شكل وردة.

Retournez-les puis froissez-les vers le bas de manière à obtenir la forme d'une rose de sable.

Etape n°: 07

سخني الزيت داخل علبة طماطم فارغة، لكي لاتفقد الوردة شكلها واقلبيها إلى أن تكسب اللون الذهبي.

Faites frire à l'intérieur d'une boîte de concentré de tomate pleine d'huile de friture, pour que la rose ne perde pas sa forme.

Etape n°: 08

قطريها و عسليها في الشاربيات.

Dès cuisson, trempez-la dans le sirop (cherbet).

Greweche

Ingrédients:

Pour la pâte :
• 03 mesures de farine " SIM "
• 01 mesure de beurre ou de margarine fondue
• 01 C. à café de vanille
• 01 pincée de sel
• Eau de fleurs d'oranger

Pour le sirop :
• 03 mesures de miel
• 01 mesure d'eau de fleurs d'oranger

Préparation:

Dans un récipient, mettre la farine tamisée et la pincée de sel.

Faire une fontaine au milieu et verser le smen refroidi.

Mouillez petit à petit avec l'eau de fleurs d'oranger jusqu'à obtenir une pâte malléable. Formez des boules et laissez reposer pendant 20 mn. Sur un plan de travail enfariné, abaisser la pâte sur une épaisseur de 02 mm. A l'aide d'une roulette, couper un rectangle de 10 cm de largeur et de 20 cm de longueur. Dans ce rectangle, tracez 20 lignes de coupures avec 1 cm d'intervalle, sans que ces lignes n'atteignent le bord. Accoler ensemble les deux coins supérieurs et inférieurs du rectangle. Coupez le superflu et faites frire dans un bain de friture. Une fois cuits, trempez les gâteaux dans le sirop.

قريوش

المقادير:

• 3 كيلات فرينة سيم
• 1 كيلة زبدة أو مارغرين ذائبة
• 1 ملعقة صغيرة من الفانيليا
• قرصة ملح
• ماء الورد

للشاربات:
• 3 كيلات عسل
• 1 كيلة ماء الورد

كيفية التحضير:

ضعي في و عاء الفرينة المغربلة و قرصة الملح، ضعي حفرة في الوسط و اسكبي المارغرين الذائبة باردة.

بللي بماء الورد تدريجيا إلى أن تتحصلي على عجينة سهلة الإستعمال كوني كريات و اتركيها ترتاح لمدة 20 دقيقة. على طاولة عمل مرشوشة بالفرينة، ابسطي الفرينة بسمك 2 ملم . بواسطة جرارة قطعي مستطيل طوله 20 سم و عرضه 10 سم ، خطيطي حوالي 20 خطا بداخله بدون أن تقربي الحواف شدي الركنين المتقابلين العلويين من جهة و الركنين المتقابلين السفليين من جهة أخرى ، انزعي الأطراف الزائدة و اقلي الحلوى في المقلاة في زيت ساخنة و فور كسبها اللون الذهبي قطيرها و اغطسيها في الشاربات.

Etape n°: 01

على طاولة عمل مرشوشة بالفرينة.

Sur un plat saupoudré de farine

Etape n°: 02

ابسطي العجينة بسمك 2 ملم.

Abaisser la pâte sur une épaisseur de
02 mm.

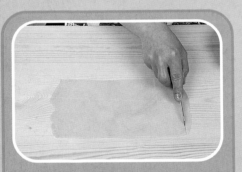

Etape n°: 03

بواسطة جرارة قطعي مستطيل طوله 20
سم و عرضه 10اسم.

A l'aide d'une roulette, couper un
rectangle de 2 mm de largeur et
de 10 cm de longueur.

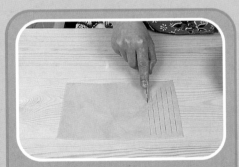

Etape n°: 04

خططي حوالي 20 خطا داخل المستطيل
دون أن تقربي الحواف.

Tracez 20 lignes de coupures avec
1cm d'intervalle, sans que ces lignes
n'atteignent le bord.

Etape n°: 05

5- شدي الركنين المتقابلين العلويين و الركنين المتقابلين السفليين.

5. Accoler ensemble les deux coins supérieurs et inférieurs du rectangle.

Etape n°: 06

6- إنزعي الأطراف الزائدة.

6. Coupez le superflu

Etape n°: 07

7- إقلي الحلوى في مقلاة بها زيت ساخنة.

7. Faites frire dans un bain de friture.

Etape n°: 08

8- فور كسبها اللون الذهبي قطريها و اغطسيها في الشربات.

8. Une fois cuits, trempez les gâteaux dans le sirop.

Bûche

Ingrédients:

Pour la pâte d'amandes :
- 01 bol d'amandes finement moulues
- 01 bol de sucre glace
- 01 blanc d'œuf
- 03 C. à soupe de cacao
- Eau de fleurs d'oranger

Pour la farce :
- 01 bol de biscuits émiettés
- 01 bol d'amandes
- 01 bol de sucre glace
- 01 verre à thé de beurre fondu
- 01 C. à café de vanille

Pour le glaçage :
- 03 blancs d'œufs
- 01 C. à soupe de jus de citron
- 01 petite cuillère d'huile
- 05 C. à soupe d'eau de fleurs d'oranger
- Sucre glace tamisé
- 05 C. à soupe de cacao

Préparation:

Préparation de la pâte d'amandes :
Dans un récipient, mélanger les amandes finement moulues et le sucre glace.
Humecter avec les blancs d'œufs et continuer à mélanger.
Ajouter le cacao mélangé avec l'eau de fleurs d'oranger.
Ramasser le tout jusqu'à obtenir une pâte homogène.

Préparation du glaçage :
Humecter le cacao avec un peu d'eau de fleurs d'oranger et laisser à part.
Battre les blancs d'œufs en neige, ajouter le jus de citron et l'huile.
Ajouter le premier mélange de cacao et d'eau de fleurs d'oranger, bien mélanger le tout, puis ajouter progressivement le sucre glace jusqu'à obtenir un mélange un petit peu liquide.

Préparation de la farce :
Dans un récipient, mélanger les biscuits moulus, les amandes et la vanille.
Ramasser le tout avec le beurre fondu et le sucre glace.
Faire ensuite des boudins de 03 cm de diamètre.
Sur un plan de travail saupoudré de sucre glace, étaler la pâte d'amande et déposer dessus un boudin de farce.
Rouler la pâte d'amande sur un tour complet autour de la farce, puis couper à l'aide d'un couteau des pièces de 04 cm de long ; et le même nombre de pièces de 01 cm de long.
Etaler le glaçage sur les pièces préparées et déposer ensuite verticalement une petite pièce sur chaque grande pièce disposée horizontalement.
Pour décorer, griffer la surface du gâteau avec une fourchette pour lui donner l'aspect d'une vraie bûche.
Pour finir, saupoudrer de sucre glace.

البيش (كفتة)

المقادير:

عجينة اللّوز:
- 1 إناء لوز مرحي جيدا
- 1 إناء سكر ناعم مغربل
- 1 بياض البيض
- 3 ملاعق كبيرة من الكاكاو
- ماء الورد

الحشو:
- 1 إناء بيسكويت مرحي (كاسكروت)
- 1 إناء لوز مرحي
- 1 إناء سكر ناعم
- 1 كأس صغير زبدة ذائبة
- 1 ملعقة صغيرة من الفانيليا

الطلاء:
- 3 بياض البيض
- 1 ملعقة من عصير الليمون
- 1 ملعقة صغيرة من الزيت
- 5 ملاعق ماء الزهر
- سكر ناعم مغربل
- 5 ملاعق اكل من الكاكاو

كيفية التحضير:

تحضير عجينة اللّوز:
في وعاء اخلطي اللّوز المرحي و السكر الناعم، بللي ببياض البيض و استمري في الخلط ، ضفي الكاكاو المبلّل بماء الورد حتى تتحصلي على عجينة متجانسة.

تحضير الطلاء:
بللي الكاكاو مع ماء الورد و اتركيه على حدى ، خفقي بياض البيض كالثلج، ضفي عصير الليمون و الزيت.
ضفي اليهم خليط الكاكاو مع ماء الورد، اخلطي الكل جيدا ثم اضيفي اليهم السكر الناعم تدريجيا حتى تتحصلي على عجينة طلاء سائلة نوعا ما.

تحضير الحشو:
في وعاء اخلطي البسكويت المسحوق مع اللّوز، اخلطي الكل مع الزبدة الذائبة و السكر الناعم و الفانيليا كوّني حربوش قطره 3 سم.
فوق طاولة عمل مرشوشة بالسكر الناعم، ابسطي عجينة اللّوز،بالحلال و ضعي عليها حربوش من الحشو ، أديري عليه العجينة دورة كاملة ، بواسطة سكين قطعي قطعا أخرى طولها 1 سم المحضر بالطلاء القطع إطلي 1 سم أخرى قطعا ضعي سابقا المحضر بالطلاء القطع إطلي 1 سم طولها قطعا أخرى أفقيا و على سطحها قطعة 1 سم كما هو واضح في الصورة وللتزيين أخدشي السطح بواسطة فرشاة لتتحصلي على شكل حطبة. في النهاية ذرذري عليها السكر الناعم.

Bûche
Etape par Etape

Etape n°: 01

حضري عجينة اللوز مع الحشو كما سبق و
أن ذكرنا في المقادير

Préparez la pâte d'amandes et la farce
comme indiqué dans la recette

Etape n°: 02

أبسطي عجينة اللوز بالحلال و ضعي عليها
حربوش من الحشو قطره 3سم.

Abaissez la pâte d'amandes à l'aide
d'un rouleau et posez dessus un
boudin de farce de 03 cm de diamètre.

Etape n°: 03

3- أديري على الحربوش العجينة دورة كاملة.

Rouler la pâte d'amandes sur un tour
complet autour de la farce

Etape n°: 04

4- بواسطة سكين قطعي الحربوش إلى
قطع طولها 4 سم.

A l'aide d'un couteau, coupez des
pièces de 04 cm de long

Etape n°: 05

ضعي الطلاء على السطح.

Etalez le glaçage sur la surface

Etape n°: 06

بنفس عدد قطع الكفتة قطعي قطعا أخرى
طولها 1 سم

Le même nombre de pièces de Keftas
de 1cm de long

Etape n°: 07

ضعي قطعة 4 سم أفقيا و على سطحها
قطعة 1 سم عموديا و أخدشي السطح
بواسطة فرشاة الأكل.

Déposez verticalement une petite pièce
sur chaque grande pièce disposée
horizontalement, et griffez la surface avec
une fourchette.

Etape n°: 08

8- ذرذري عليها السكر الناعم و في الأخير
تتحصلي على شكل حطبة.

Saupoudrez de sucre glace pour
obtenir l'aspect d'une vraie bûche.

El Djbar (Maïs)

Ingrédients:

Pour la pâte :
- 01 mesure d'amandes finement moulues (200 gr)
- 01 mesure de sucre glace tamisé (200 gr)
- 01 à 02 blancs d'œufs
- Colorants alimentaires vert et jaune
- Eau de fleurs d'oranger

Pour la farce :
- 01 bol de biscuits moulus
- 1/2 bol d'amandes moulues
- 1/2 bol de Halwat Turc
- Miel

Préparation:

Pour la pâte d'amandes :
Dans un récipient, mettez les amandes et le sucre. Ajoutez progressivement les blancs d'œufs battus en neige jusqu'à obtention d'une pâte lisse facile à travailler. Partagez la pâte en deux boules.
Colorez la première avec le colorant alimentaire jaune dilué dans l'eau de fleurs d'oranger, puis la deuxième avec le colorant vert dilué lui aussi dans de l'eau de fleurs d'oranger.

Pour la farce :
Dans un récipient, mélangez les amandes, les biscuits moulus et le Halwat Turc émietté. Ajoutez progressivement le miel jusqu'à obtention d'une farce homogène.
Sur un plan de travail saupoudré de sucre glace, étalez la pâte colorée en jaune puis la pâte colorée en vert.
Sur la pâte colorée en jaune, découpez des ronds à l'aide d'un verre à bord fin.
Sur chaque rond, posez un boudin de farce puis refermez avec la pâte sur le sens de la longueur.
A l'aide d'un couteau, tracez la forme des grains de maïs (ou avec une paille).
Pour les feuilles, découpez la pâte verte à l'aide d'un couteau. Pour finir, posez trois feuilles vertes sur le maïs.

الجبار

المقادير:

العجينة
- 1 كيلة ضعي اللوز مرحي رقيق (200غ)
- 1 كيلة سكر ناعم مغربل (200غ)
- 1 إلى 2 بياض البيض
- ملون غذائي أخضر و أصفر
- ماء الورد

الحشو :
- 1 إناء بسكويت مرحي
- 1/2 إناء لوز مرحي
- 1/2 إناء حلوة الترك
- عسل

كيفية التحضير:

عجينة اللوز:
في و عاء ضعي اللوز، السكر ، أضيفي بياض البيض المخفف كالثلج تدريجيا حتى تتحصلي على عجينة ملساء سهلة الإستعمال ، قسمي العجينة إلى قسمين ، ضفي للأولى الملون الغذائي الأصفر مبلل بماء الزهر و الثانية الملون الغذائي الأخضر مبلل بماء الزهر.

الحشو:
خلطي في و عاء اللوز مع البسكويت و حلوة الترك، ضفي العسل تدريجيا إلى أن تتحصلي على حشو متجانس . على طاولة عمل مرشوشة بالسكر الناعم أبسطي العجينة الصفراء ثم الخضراء و بواسطة كأس شفرته رقيقة قطعي دوائر على العجينة الصفراء.
ضعي في و سط كل دائرة حريوش من الحشو و اغلقي عليه بالعجينة طوليا.
بواسطة سكين خططي خطوط طولية و عرضية (أو استعملي لا پاي)
قطعي شكل أوراق بواسطة سكين و ابسطي ثلاثة على حبة الذرة الصفراء.

Ananas

Figue de Barbarie

Figue

Cerise

Citron

Banane

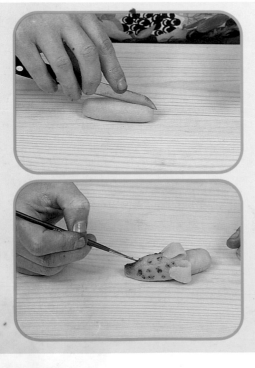

Abricot

Fraise

Kiwi

Pastèque

Maïs

Pêche

Mandarine

Pomme

Raisin

Poire

Yris

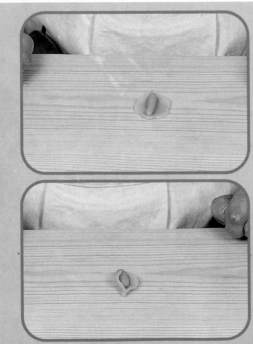

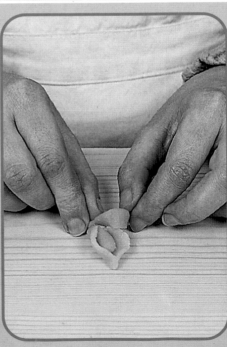

Dominos

Fleur

Rose

Panier